모자가 바람에
날아가요.

책 발자국 Level 2

바람

글 김미혜 그림 차선희

교육공동체벗

선생님과 학부모님께

이 그림책은 초기 문해력 교육을 위한 수준 평정 그림책입니다.
아이의 읽기 행동을 관찰하고 기록한 결과를 바탕으로 아이의 눈높이에 맞는
책을 골라 주세요. 아이 스스로 책을 선택할 수 있게 해 주시면 더 좋아요.
그리고 가정과 학교에서 아이와 함께 안내된 읽기를 해 주세요.
이 책에는 한글의 여섯 번째 자음 'ㅂ'이 들어간 '바람', '잡다', '불다', '번개' 등의
낱말이 나옵니다. 첫소리와 받침소리의 차이를 살펴보고 '빨리'에 들어 있는
된소리 'ㅃ'과 'ㅂ' 소리를 비교하면서 말소리를 탐색해 보세요.
그림을 보면서 개와 모자의 움직임을 문장으로 표현해 보고,
모자를 놓쳤을 때와 잡았을 때 개의 기분이 어땠을지 이야기를 나눠 보세요

개가 모자를
잡으려고 해요.

어? 다시 바람이 불어요.

모자가 바람에
멀리 날아가요.

개가 번개처럼
빨리 달려가요.

드디어 모자를
잡았어요.

이 책은 _____ 의 것입니다.

바람

ⓒ 김미혜, 차선희, 2025

2025년 11월 3일 처음 펴냄

글쓴이 김미혜 | **그린이** 차선희 | **편집** 이진주 | **디자인** 더디앤씨 | **인쇄** 보명C&I | **제작** 세종PNP
펴낸이 김기언 | **펴낸곳** 교육공동체 벗 | **이사장** 오정오 | **사무국** 최승훈, 설원민, 공현
출판등록 제2011-000022호(2011년 1월 14일) | **주소** (03998) 서울시 마포구 월드컵북로7길 76-12 102호
전화 02-332-0712 | **전송** 0505-115-0712 | **홈페이지** communebut.com

ISBN 978-89-211-9 67700
ISBN 978-89-195-2 (세트)

바람	BFL	2
	어절 수	22

값 2,300원

책 발자국®

사용 연령
6세 이상

ISBN 978-89-6880-211-9
ISBN 978-89-6880-195-2 (세트)